Til min familie fra Helle Thomassen

Título original en gallego: **Once damas atrevidas**

Colección **libros para soñar**

© del texto original: Xosé M. González "Oli", 2001
© de las ilustraciones: Helle Thomassen, 2001
© de la traducción al castellano: Xosé M. González "Oli", 2001
© de esta edición: Kalandraka Editora, 2001
Alemania 70, 36162 Pontevedra
Telefax: (34) 986 860 276
editora@kalandraka.com
www.kalandraka.com

Diseño: equipo gráfico de Kalandraka

Primera edición: abril, 2001
ISBN: 84.8464.086.8
DL: PO.181.01

Oli
Helle Thomassen

Once damas atrevidas

kalandraka

ONCE damas atrevidas
caminaron hasta Fez,

una se perdió en los cuentos
y quedaron sólo DIEZ.

DIEZ damas atrevidas
siguieron a un berebere,
una se cayó en las dunas
y quedaron sólo NUEVE.

NUEVE damas atrevidas
viajaron a Rusia en moto,
una patinó en la nieve
y quedaron sólo **OCHO**.

OCHO damas atrevidas
pasaron el San Vicente,
el viento se llevó una
y quedaron sólo **SIETE**.

SIETE damas atrevidas
llegaron a Monterrey,
una se tostó al sol
y quedaron sólo **SEIS**.

SEIS damas atrevidas
cruzaron Australia a brincos,
una confundió el canguro
y quedaron sólo CINCO.

CINCO damas atrevidas
vieron en China teatro,
una se perdió en las sombras
y quedaron sólo CUATRO.

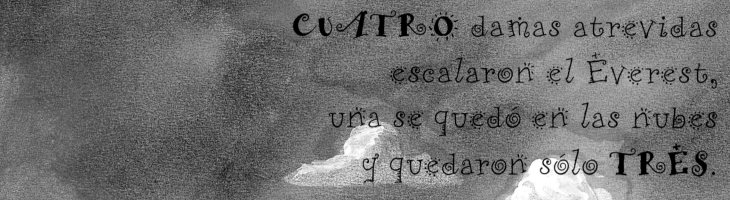

CUATRO damas atrevidas
escalaron el Everest,
una se quedó en las nubes
y quedaron sólo TRES.

TRÉS damas atrevidas,
para ver la Osa Mayor,
se subieron a la luna
y quedaron sólo **DÓS**.

DOS damas atrevidas
atracaron en Coruña,
escalaron una torre
y sólo quedó UNA.

Ésa dama que quedó
decidió regresar
y quedarse junto al mar.